Dit boek is van:

....

Gekregen van:

....

....

....

Afke Huitema

met illustraties van Laurens van Zuilen

In de Wolken

Colofon

Spoorlaan 9C, 5591 HT Heeze
www.in-de-wolken.nl
Concept en tekst: Afke Huitema (www.afkehuitema.nl)
Omslag en illustraties: Laurens van Zuilen (www.primitov.nl)
ISBN 978-90-77179- 06-2
NUR 749

Met medewerking van Stichting Joyce Tolfonds

Inhoud

Inhoud	1
Woord vooraf	2
Wie kom je tegen in het boek?	3
Koude voeten	4
1. Herinnerzinnen	6
2. Kwartet	9
3. Schatdoos	13
4. Kledingdingen	17
5. Lief lichtje & gedichtje	20
6. Hemeltelefoon	23
7. Steengoed	26
8. Knuffelkruik	31
1. Hoe maak ik: Herinnerzinnen	36
2. Hoe maak ik: Kwartet	38
3. Hoe maak ik: Schatdoos	43
4 Hoe maak ik: Kledingdingen	45
5. Hoe maak ik: Lief lichtje & gedichtje	50
Gedichtje	52
6. Hoe maak ik: Hemeltelefoon	53
7. Hoe maak ik: Steengoed	55
8. Hoe maak ik: Knuffelkruik	57
Kwartetkaartjes	62
Met dank aan:	81

Woord vooraf

Voor u ligt een (voor)lees- & doeboek voor kinderen die een verlies meemaken.
Er zijn heel wat kinderen die dit overkomt en die worstelen met hun gevoelens.
Ze maken al jong mee dat een ouder overlijdt of ze moeten een broertje, zusje, oma of opa missen. Zoals Tim en zijn kleine zusje Nienke van wie papa is doodgegaan.
Ook zijn er veel kinderen die net als Tessa meemaken dat hun ouders gaan scheiden of gescheiden zijn. Vaak blijft het contact met zowel papa als mama goed maar sommige kinderen worden de dupe van een zogenaamde vechtscheiding. Daarbij wordt de strijd van de ouders over de hoofden van de kinderen uitgevochten.
Deze kinderen maken soms mee dat een deel van de familie hen niet meer wil zien omdat er partij getrokken is voor een van de ouders. Maar ook als ouders hun uiterste best doen om hun kinderen niet te laten lijden onder de scheiding, kun je niet voorkomen dat kinderen er helemaal geen last van hebben. De meeste kinderen verlangen naar vroeger ondanks het feit dat het vroeger ook niet ideaal was.
Toen ik het boek van Afke onder ogen kreeg, wist ik onmiddellijk dat dit een prachtig boek is voor kinderen die een verlies door echtscheiding of door de dood meemaken. Ze kunnen zichzelf in Tim, Nienke en Tessa herkennen en ze kunnen met de werkvormen in het tweede gedeelte actief aan de slag met hun gevoelens.
Ze zullen hierbij soms de hulp van volwassenen nodig hebben en dat is een mooie gelegenheid om al doende samen bezig te zijn met het verlies. Dit boekje kan ouder(s) en kind op die manier dichter bij elkaar brengen.

Dr. Riet Fiddelaers-Jaspers
Rouwdeskundige, verbonden aan het Expertisecentrum Omgaan met Verlies

Wie kom je tegen in het boek?

Dit is de Familie Groothuijs met Tessa.

Tim	Tessa	Mama Madelon	Nienke	Papa Pieter	Oma Lien
12	Vriendinnetje van Tim 11	35	5	37	65

Koude voeten

Tessa logeert bij haar vriendje Tim. Dat is wel een beetje raar, want Tims papa is twee weken geleden doodgegaan en Tim heeft hier veel verdriet van. Ook Tims zusje Nienke en mama Madelon vinden het moeilijk om zonder papa Pieter verder te gaan. Tessa kent het wel een beetje. Tessa's papa en mama zijn namelijk gescheiden, en nu woont Tessa's papa heel ver weg. Helemaal aan de andere kant van Nederland en ze ziet hem niet zo vaak meer. Eigenlijk bijna nooit, maar 3 keer per jaar of zo.
Het lijkt wel alsof mijn papa ook een klein beetje is doodgegaan, denkt Tessa soms, ik zie hem bijna nooit meer. Het is fijn dat ze Tim nu een beetje kan helpen, want ze snapt hem heel goed, ook al is het anders dan met haar papa. Tims papa is er helemaal niet meer, ook niet aan de andere kant van Nederland.
Hij kan niet meer mee naar de voetbal-trainingen en niet meer naar de voor-stellingen op school. Hij zit ook niet meer aan tafel thuis. Hij is gewoon weg! Papa Pieter is dood, hij had kanker.
Hij is een tijdje ziek geweest, maar niet zo lang. En nu is hij er opeens niet meer. Net als cavia Moepsje, nu een jaar geleden, die was ook opeens dood.
Ze hebben hem toen met z'n allen begraven in de tuin. Dat was heel mooi. Ze moesten allemaal wel een beetje huilen. Zelfs Tim, ook al zei hij van niet. Maar nu is papa Pieter dood en hebben ze er allemaal veel verdriet van.

Tijdens het eten begint Nienke te huilen. 'Wat is er?', vraagt mama Madelon. 'Ik heb koude voeten, ik haat koude voeten', zegt ze snikkend. 'Trek dan lekker je sloffen aan, lieverd.' 'Dat wil ik niet, papa moet ze warm wrijven.' 'Ja, dat deed papa altijd, maar papa is er nu niet meer.' Madelon slikt even. 'Zal ik ze warm proberen te wrijven?' .'Nee, alleen papa kan dat doen', zegt Nienke en ze schudt hierbij haar hoofd.

'Mis je papa?' vraagt Madelon. Nienke knikt, net zoals Tessa en Tim, die er stil van worden. Madelon zegt dat ze hem ook heel erg mist. Ze vraagt aan de kinderen wat ze kunnen bedenken zodat papa wat dichterbij is. Tessa bedenkt dat Nienke papa's favoriete sokken aan kan trekken om haar voeten te warmen, dat doet zij ook altijd. Dat gaat Nienke meteen doen! Tim zegt dat hij graag denkt aan alle fijne herinneringen die hij aan papa heeft. Hij zegt hoe fijn hij het vond om met papa te praten, vooral over hun gezamenlijke hobby: voetbal. Papa had altijd goede tips en trucs en die gingen ze dan samen meteen oefenen.
Mama vraagt aan de kinderen of ze het fijn vinden om na het eten in het 'W-Auw'-boek te kijken en iets moois te bedenken zodat papa altijd bij hen is. Dat willen ze graag. Mama zet de lievelingsmuziek van papa op en na het eten bladeren ze samen door het boek.

Tessa vindt het fijn dat ze bij Tim en zijn familie mag logeren. Nienke is als een klein zusje voor haar, en mama Madelon vindt ze heel lief. Het is bijna een tweede huis voor haar.
In het 'W-auw'-boek werken vindt ze fijn, daar staan allemaal dingen in die ze kan doen als ze haar papa mist. En samen met Tim en Nienke is dat helemaal leuk en voelen ze zich allemaal iets minder verdrietig.

1. Herinnerzinnen

Het is negen uur, en Tessa staart uit het raam. Ze zit op school maar is niet aan het werk. Of toch wel? Tessa denkt na! De juf heeft de klas een opdracht gegeven: 'Maak een verhaal over iets wat je leuk vindt', en nu is Tessa dus heel hard aan het nadenken. Waar moet ze een verhaal over schrijven? Ze weet het niet zo goed. 'Over Kus misschien?', denkt ze. Kus is haar favoriete band. Mmm, nee toch niet... daar heeft ze de laatste keer al over geschreven, toen was de opdracht om iets over muziek te schrijven. Nee, nu wil ze iets anders... maar wat?

De juf ziet dat Tessa uit het raam kijkt en loopt naar haar toe. 'Tessa', zegt ze, 'lukt het een beetje?' 'Nee, ik kan niets verzinnen, juf', zegt Tessa balend. Ze wil zo graag een leuk verhaal schrijven, iets wat juf goed vindt en waar de hele klas om moet lachen.
'Ik wil iets grappigs schrijven juf, iets leuks!' 'Dat is wel moeilijk Tessa', zegt de juf, 'grappig én leuk.... mmm', de juf denkt mee. Nu kijken ze samen naar buiten. Tessa ziet een haasje voorbij rennen en ineens weet ze het! Ze gaat over haar papa schrijven. Snel pakt ze een pen en gaat driftig aan de slag.
De juf ziet dat Tessa iets heeft bedacht en is nieuwsgierig naar wat ze aan het schrijven is. Tessa vindt de les ineens een stuk leuker! Als je niet weet wat je moet schrijven is er niets aan, maar als je het wel weet is het hartstikke leuk! Na een kwartier is Tessa klaar.

Ze is er helemaal moe van, maar ook trots op zichzelf.

Om de beurt mogen de kinderen in de klas hun verhaal voorlezen. Na Tim is Tessa aan de beurt. Ze is wel een beetje zenuwachtig. Zal de klas het leuk vinden? Ze hoopt van wel.

'Tessa, jij bent nu aan de beurt', zegt de juf. Aarzelend staat ze op en vertelt haar verhaal. Over haar papa die altijd al van koeien heeft gehouden. Dat begon al toen hij klein was en dat hij dan in de weilanden heel lang naar de koeien kon kijken. Hij wilde graag een koe voor zijn zesde verjaardag, maar dat mocht niet van opa en oma. Papa vond dat niet eerlijk, want hij hoefde alleen maar één koe, dat was toch niet zoveel? En die koe kon toch best in de tuin staan? Dat dacht papa toen nog.
'Hij was nog maar zes, dus dan kan het', zegt Tessa. Papa kreeg wel een beest voor zijn verjaardag. 'Weten jullie wat het was?', vraagt Tessa aan de klas. Niemand weet het.
Dan steekt Robert zijn vinger in de lucht. 'Een paard?'. 'Nee, gekkerd, een paard is toch ook heel groot!, zegt Tessa, 'het was een cavia. En omdat papa zo graag een koe wilde, heeft hij de cavia de naam 'Koe' gegeven!'

De hele klas moet erom lachen, wat een gekke, grappige papa heeft Tessa toch. 'Hartstikke goed gedaan Tessa', zegt de juf. 'Hoe kwam je hier nu ineens op? 'Ik heb het uit mijn herinnerzinnen, juf', zegt Tessa. Herinnerzinnen?, de juf kijkt vragend naar Tessa. 'Wat zijn herinnerzinnen?' 'Dat is een doosje met allemaal zinnetjes die me herinneren aan papa. Opa en oma en tante Nellie hebben op briefjes dingen geschreven die ze over papa weten, de briefjes opgerold en in een doosje gedaan. Als ik bij mama logeer en ik mis papa, dan kijk ik daar even in. Dan rol ik een briefje uit en ben ik benieuwd wat daar op staat, want het zijn heel veel verschillende herinnerzinnen. Elke keer is het weer spannend', zegt Tessa.

'Dat is een erg mooi doosje, Tessa', zegt de juf, 'wees er maar zuinig op!' 'Ja juf, dat ben ik ook', zegt Tessa stralend. Ze gaat weer zitten en is helemaal blij, ze heeft een mooi verhaal geschreven!

Tim is aan het denken. Misschien kan hij ook herinnerzinnen maken over papa? Tessa kan hem er vast mee helpen! Hij gaat vanavond het goede idee aan mama en Nienke vertellen.

2. Kwartet

Het is 07.05 uur en iedereen slaapt nog. Behalve Nienke natuurlijk! Nienke verveelt zich en rent naar de kamer van Tim. 'Ik wil een spelletje doen! Tim, wakker worden! Ik wil een spelletje doehoen!!! Zullen we kwartetten, Tim?' Tim wordt langzaam wakker, hij wil niet spelen maar nog even lekker slapen. Spelletjes spelen met Nienke vindt hij niet leuk en kwartetten al helemaal niet. Zo kinderachtig!

'Nee', zegt Tim '...ga weg... ik wil nog slapen. En ik vind kwartetten met Nijntje-kaartjes véél te kinderachtig.' Nienke gaat huilend zijn kamer uit, iedereen in huis is nu wakker. Nienke kruipt bij mama in bed. 'Niemand wil met mij spelen', zegt ze snikkend. 'Ik wil kwartetten maar dat vindt Tim kinderachtig.' Mama slaat haar arm om Nienke en troost haar. 'Kom op meisje, we gaan ontbijten.'

Tessa logeert bij Tim en zijn familie, ze hoort er een beetje bij. Nienke denkt dat Tim en Tessa stiekem verkering hebben, maar ze durft het niet te vragen, want dan wordt Tim vast boos.

Tijdens het ontbijt zegt Tim nog eens hoe saai kwartetten is. Nienke wordt boos, kwartetten is haar lievelingsspel. Ze wil het liefst de hele dag kwartetten, samen met Tim (want van hem wint ze heel vaak).
'Als er nou een kwartet bestond met leuke plaatjes, en géén kinderachtige, dan zou ik wel meedoen', zegt Tim. Tessa heeft ineens een goed idee. 'Zullen we zelf een kwartet maken, met alleen maar plaatjes die wij leuk vinden?' Tim wil meteen meedoen.

'Dat is echt een goed idee, dan maken we een kwartet over onszelf. Mam, doe jij ook mee?' 'Ja, natuurlijk, dat lijkt me heel leuk', zegt mama. 'En papa dan?', vraagt Nienke. Het wordt weer stil en iedereen staart voor zich uit.
Dan zegt Tim: 'Natuurlijk, papa doet ook mee. Hij hoort toch ook bij ons gezin, ook nu hij er niet meer is. Dan blijven we aan papa denken.' 'Toch nog kwartetten en papa die erin meedoet', zucht Nienke, 'het lijkt wel mijn geluksdag vandaag.' Iedereen lacht.

Als de school uit is, wil Nienke snel naar huis. Ze gaan het kwartet maken. Ze heeft er helemaal zin in en kon de hele dag aan niets anders denken. Wat zullen ze op de kaartjes zetten? Ze hoopt dat Kus er op komt, want dat is haar favoriete muziek. Ze heeft er al twee cd's van! Ze wacht nog op Tessa en samen lopen ze naar huis. 'Ik hoop dat Tim al thuis is', zegt Nienke, 'dan kunnen we meteen beginnen met het maken van het kwartet. Ook Nienke heeft er zin in. Gelukkig is Tim al thuis, hij mocht iets eerder weg van de juf omdat hij naar de dokter moest met mama. Hij en mama hebben al nagedacht over het kwartet. 'Jongens wat vinden jullie ervan als we het kwartet ons 'Favoriete Kwartet' noemen, en dan allemaal favoriete dingen op de kaartjes zetten?' Alle drie knikken ze.
Tim denkt aan zijn voetbalhobby, Tessa aan Kus en Nienke aan frietjes. Als die allemaal op de kaartjes komen, wauw! Mama heeft toen ze op school waren al kaartjes gemaakt. Favoriet dier, favoriete bloem, favoriete muziek, favoriet eten, favoriete kleren, favoriet spel, favoriete kleur en favoriet plekje heeft ze bedacht. Tessa, Tim en Nienke vinden het erg mooi. Mama zegt dat ze tijdschriften mogen pakken en plaatjes mogen zoeken van alle favoriete dingen die in het kwartet komen. Ook kunnen ze tekenen of een foto gebruiken.
Tim weet het al, hij gaat een foto zoeken van zijn boomhut, want dat is

zijn favoriete plek. Tessa zoekt op haar kamer een mooi plaatje van Kus. Samen gaan ze knippen en plakken.

'Wat was het favoriete plekje van jullie papa?', vraagt Tessa. 'Bij mama', zegt Nienke terwijl ze op het puntje van haar tong bijt om heel mooi te tekenen. Ze tekent haar rode maillot met witte stippen, en dat is toch best moeilijk. Mama zegt dat papa heel graag bij haar was, maar ook nog bij iets anders. 'Weten jullie nog wat papa altijd deed op zaterdag?' 'RACEN!, roepen Nienke en Tim. 'Dan gaan we zijn racefiets opplakken', zegt Tim. 'Ja, hij werd altijd heel blij van fietsen', zegt Nienke. 'En de riem van opa moet er ook in', zegt Tim, die had hij altijd om. 'En hij luisterde altijd naar de muziek van die mevrouw met die rare naam', zegt Nienke, 'Frappie-iets of zo.' 'Goldfrapp', zegt mama lachend. 'Ja dat is ook een moeilijke naam hè? Ik zal het er wel bij schrijven.' Aan het eind van de middag is het kwartet bijna af. Ze kunnen niet wachten tot ze het na het eten gaan spelen.

3. Schatdoos

'Nog een keer, nog een keer', roepen de Teletubbies Nienke toe. Met haar duim in de mond kijkt Nienke televisie. De Teletubbies vindt ze erg leuk, maar nog leuker vindt ze Bob de Bouwer, en daar wacht ze eigenlijk op, maar dat duurt nog even.
Ondertussen is mama aan het schoonmaken en opruimen.
Tim en Tessa zijn iets aan het maken voor school. Wat ze aan het maken zijn weet ze eigenlijk niet, maar ze zitten aan tafel. Het lijkt wel op knutselen.
'Wat maken jullie?', vraagt ze als ze van de bank is geklommen. 'We moeten van juf Anneke iets maken wat belangrijk voor ons is,' zegt Tim. Juf Anneke is de juf van Tim. 'Ze is heel lief', heeft Tessa wel eens gezegd. Tessa krijgt juf Anneke volgend jaar. Nu heeft ze nog meester Bart. Die is ook wel lief, maar juf Anneke lijkt haar liever.
'En wat gaan jullie dan maken?', vraagt Nienke. Nu weet ze het nóg niet!

'Ik weet het eigenlijk niet', zegt Tessa. 'Ik vind het zo moeilijk', zucht ze.
Ook Tim vindt het moeilijk zegt hij.
'Juf Anneke heeft wel gezegd dat het alles mag zijn, maar dat maakt het alleen nog maar moeilijker!', zegt hij.
'Ik weet wel wat belangrijk voor me is', zegt Nienke. 'Papa, maar die is er niet meer'. 'Ja duhuh', zegt Tim, 'die is voor ons toch ook heel belangrijk, maar ja wat kan ik daarover maken?' Nienke denkt na, 'Papa is mijn schat. Ik zou een

schat maken denk ik.' Ze loopt weer richting de bank, Bob begint zo en die wil ze niet missen. 'Dat is niet eens zo'n slecht idee, Tim', zegt Tessa. 'Een schat', herhaalt Tim. Hij ziet meteen piraten voor zich en een schatkaart. 'Mmm, nee ik kan er niet zoveel mee... waar denk jij dan aan?', vraagt hij aan Tessa. 'Nou, we kunnen een doos maken, met daarin onze schat. We stoppen er allerlei dingen in die belangrijk zijn. Jij dingen van jouw papa. Ik maak twee dozen, ééntje met spulletjes van mama voor als ik bij papa ben, en ééntje met dingetjes van papa voor als ik bij mama ben. Dan kunnen we die dozen mooi versieren met plaatjes en er mooie dingen op schrijven.' 'Hé ja, dat worden dan onze 'Schatdozen', zegt Tim. Hij ziet het nu meer voor zich, een heel mooie vierkante bruine stevige doos, met papa's stropdas er in. Die stropdas van zijn werk vindt Tim heel mooi. Dan kan er ook het lepeltje in waarmee papa at

toen hij heel klein was. Daar was hij altijd heel zuinig op. Tessa denkt aan een andere schatdoos. Een mooie ronde, beschilderd met roze en paars en een klein beetje blauw. 'Papa, ik mis je' moet er dan op komen te staan, met zilveren letters, en op de andere 'Mama, ik mis je'.

Ondertussen heeft Nienke papa's fleecetrui van de kapstok gepakt en meegenomen naar de bank. De trui heeft ze als een dekentje over zichzelf heen gelegd en ze friemelt wat aan de mouw. 'Deze trui ruikt nog naar papa', zegt ze ineens. 'Hij ruikt lekker!' Tessa en Tim horen het niet, ze zijn druk aan het bedenken hoe hun schatdoos eruit moet zien.

Mama komt naar beneden, ze brengt de stofzuiger terug naar het berghok en ziet Nienke met de trui over zich heen op de bank liggen.
Ze moet een klein beetje lachen, want de trui is zo groot, dat Nienke bijna is verstopt onder de trui!

'Mam, hebben we nog ergens doosjes?', vraagt Tim. 'Oh, dat weet ik eigenlijk

niet, dan zullen we even moeten kijken in de knutselkast.' Samen lopen ze naar de knutselkast. Als mama de deur open doet vallen de knutselspullen er meteen uit. Mama moet erom lachen, 'Kijk eens jongens', roept ze, 'de doosjes komen gewoon naar ons toe!' Iedereen lacht erom. Tim ziet een vierkant doosje wat echt een schatdoos kan zijn voor hem.

Tessa ziet een rond doosje dat ze perfect vindt. 'Wat gaan jullie er eigenlijk mee doen?', vraagt mama. 'Ik ben heel benieuwd.'

'We gaan schatdozen maken!', roept Tessa. 'Een schatdoos? Wat is dat?', vraagt mama. 'Een doosje met dingen die ons herinneren aan onze schatten die niet altijd bij ons kunnen zijn. Voor Tim is dat zijn papa, voor mij is dat vooral mijn papa en soms ook mijn mama.' 'Want zij zijn belangrijk voor ons, mam, zij zijn onze schatten', zegt Tim. 'En Nienke heeft ons geholpen', zegt Tessa.

'Wat mooi jongens, dat jullie dat samen bedacht hebben', zegt mama. Allerlei kwasten en verf liggen inmiddels verspreid over de hele tafel. 'Ik ben heel benieuwd hoe het er uit gaat zien, jongens'.

4. Kledingdingen

Nienke ligt nog steeds op de bank. Bob de Bouwer is al lang afgelopen. 'Nienke, het eten is klaar', roept mama. Tessa loopt naar Nienke toe. 'Kom Nien, we gaan eten', zegt ze. Nienke hoort het niet, ze is in slaap gevallen!
Zachtjes loopt Tessa naar de keuken. 'Madelon, Madelon, Nienke is in slaap gevallen!, zegt Tessa lachend. Samen kijken ze om het hoekje van de woonkamer. 'Ze snurkt zelfs een beetje, Madelon' zegt Tessa. 'Ja, een klein beetje geloof ik! We moeten haar wel wakker maken, want anders mist ze het eten. Wel een beetje jammer, hè?'

'Zal ik het doen Madelon?', zegt Tessa. 'Ja, is goed, maar wel zachtjes, hoor!' Tessa sluipt zachtjes op haar sloffen naar Nienke.
Ze pakt haar arm voorzichtig vast en schudt een beetje. 'Nien, wakker worden', fluistert ze. 'Nien, we gaan eten.' Nienke murmelt een beetje. 'Huh, watisser?', zegt ze. 'Nien, je was in slaap gevallen bij Bob!' 'Huh?' 'Ja, en we gaan nu eten, kom.' Nienke wrijft even in haar ogen om een beetje wakker te worden.
Tessa zit al aan tafel, net als mama en Tim. Ze lachen allemaal om Nienke, die de trui met zich meesleept. 'Heb je lekker geslapen?', vraagt Tim. 'Ja hoor', zegt Nienke. 'Ben je zo moe dan?', vraagt mama. 'Ja, Nienke heeft ons goeie ideeën gegeven mam, daar word je ook heel moe van', zegt Tim. 'Neehee, ik

ben helemaal niet moe', zegt Nienke, 'maar toen ik de trui van papa op me had gelegd, rook ik papa weer. Ik kon er lekker onder wegkruipen en het leek of papa weer een beetje bij me was.'
'Haha, je zou eigenlijk een echte deken van papa's trui moeten maken', zegt Tim.
'Ja, of een kussen', roept Tessa.
'Hé jongens, dat is eigenlijk best wel een goed idee hoor', zegt mama. 'Jullie zitten vandaag vol met goede ideeën!'
Nienke is inmiddels weer een beetje wakker en zegt: 'Ik zou eigenlijk best graag een
kussen van papa's trui willen. Kan dat mam?' 'Tuurlijk kan dat', zegt mama. 'Zullen we na het eten eens gaan kijken hoe we dat kunnen doen?' 'Ja, is goed, nu eerst eten, want ik heb honger!!' zegt Nienke.

Samen eten ze tomatensoep, gebakken aardappeltjes met andijvie en gehaktballen, en praten zo over de schatdoos en het dekentje, dat een trui is en misschien wel een kussen wordt.

Misschien kan Nienke het kussen ook wel aan juf Anneke laten zien, bedenkt Tim. 'Ik denk dat jullie van juf Anneke allemaal een dikke tien krijgen voor jullie goede ideeën!', zegt mama. 'Van mij krijgen jullie in ieder geval een dikke tien en een zoen!'

5. Lief lichtje & gedichtje

'Hij is inderdaad heel mooi', zegt oma Lien.

Oma Lien en Nienke zijn samen een dagje 'stadten'. Zo noemen Nienke en oma dat: 'stadten'. Ze gaan dan samen naar de stad om te winkelen.

Het is lente en oma heeft beloofd dat Nienke vanmiddag een ijsje mag. Oma lust zelf ook wel een ijsje! Nienke kijkt er nu al naar uit. Ze wil er een met spikkels, met heel veel kleuren want dat is zo lekker vrolijk. Of een sinasplit, roomijs met een laagje waterijs dat naar sinaasappel smaakt! Oma heeft het liefst een smurfenijsje. Dat vindt Nienke wel een beetje gek, want welke oma houdt er nou van smurfenijs? De oma van Nina

'Waah, dit is een coole tas!, roept Nienke ineens. Ze laat oma's hand los en rent naar de etalage. 'Kijk oma, kijk! Echt een vette tas he?' Ze wijst enthousiast naar de paarse tas met de gele sterren. 'Die zou ik echt héééééééél graag willen hebben', zucht ze.

tenminste niet, maar ja, die houdt helemaal niet van ijs en ook niet van snoep. Daar krijgen ze altijd worteltjes. 'Nee, dan is mijn oma toch leuker!', denkt Nienke.
Dromerig pakt Nienke oma's hand. Samen lopen ze verder.

In een winkel ziet ze allemaal flesjes met after-shave staan, sommige mooi ingepakt, en sommige met een doosje, allemaal op een grote tafel. 'Oma, waarom staat dit hier allemaal?', vraagt ze. 'Nou', zegt oma, 'dat komt omdat het zondag over een week vaderdag is.' Nienke kijkt haar aan en slikt even.

'Dit wordt de eerste vaderdag zonder papa. Dat is helemaal niet leuk.' Nienke is even stil. Oma weet ook niet zo goed wat ze moet zeggen. 'Ik wil eigenlijk wel iets doen voor papa', zegt ze dan, 'maar ik weet niet wat.' 'Weet je wat', zegt oma, 'dan gaan we nu een ijsje eten en erover nadenken, lijkt je dat wat?'

Samen lopen Nienke en oma naar 't Juffie. Dat is een ijsjeswinkel waar oma en Nienke altijd hun ijsje eten. Terwijl Nienke een grote hap neemt van haar gespikkelde ijsje, zegt oma: 'Als we nu eens een mooie kaars kopen, en ook was en verf.' 'Verf hebben we thuis al', zegt Nienke. 'Oke, geen verf dan, alleen een kaars en was. En dan gaan we mooie figuurtjes en letters maken van de was en plakken we die op de kaars en maken we er ook tekeningen op.' 'Jaah, dat lijkt me een goed idee', roept Nienke. 'Dan kopen we meteen twee kaarsen, één voor Tim, en één voor mij. En dan hebben de kaarsen de lievelingskleur van papa, blauw!' Nienke ziet het al helemaal voor zich. 'Dan kunnen we er misschien ook een gedichtje bij maken, dat deden we vroeger ook met vaderdag. Is dat een goed idee oma?' 'Een lief lichtje met een gedichtje', dat klinkt toch fantastisch, Nienke! Deal, dat gaan we doen.' Nienke lacht om oma Lien die 'deal' zegt. Dat is nog gekker dan een oma die smurfenijs lekker vindt!

6. Hemeltelefoon

Nienke gaat huppelend naar buiten. De school is uit! 'Het was een superleuke dag mam', roept ze al van verre. 'O ja meisje? Ik ben wel heel benieuwd naar wat je allemaal hebt gedaan'. Mama hurkt om Nienke op te vangen die zich al huppelend in haar armen werpt.

'Heel veel', antwoordt Nienke, en ze praat honderduit. Over de papieren maskers die ze allemaal hadden opgezet, en dat ze niet meer wist wie wie was en dat ze dacht dat ze Penny gevonden had, maar het bleek Saskia te zijn. 'Raar, hè mam, dat ik het niet meer kon bedenken?' Al kletsend lopen ze hand in hand naar huis. Ze wonen dicht bij school en gelukkig is het mooi weer.

'Mam', zegt Nienke, 'kunnen we vanmiddag naar papa gaan? Ik wil dit eigenlijk ook aan papa vertellen.' 'Ja hoor, dat kan. Zullen we dan vragen of Tim ook meegaat?' 'Ja, we gaan allemaal!'

Bij het eten zegt mama tegen Tim dat Nienke vanmiddag naar het graf van papa wil gaan om hem iets te vertellen. 'Wil je mee?' 'Nee, ik heb eigenlijk niet zo'n zin om naar het graf te gaan', zegt Tim. 'Dat kan hoor', zegt mama begrijpend, 'maar wat wil je dan doen? Wil je bij de buren spelen of naar oma Lien?' 'Ik bel oma Lien wel even', zegt Tim, 'of Tessa.'

Als ze klaar zijn met eten en de afwas hebben gedaan, heeft Tim oma al gebeld en staan mama en Nienke klaar om te gaan. 'Mam', zegt Tim, 'het zou toch veel makkelijker zijn als ik papa kon bellen? Net als oma Lien.' 'Ja, dat zou zeker makkelijker zijn', zegt mama. 'Ik voel papa soms dicht bij me. Dan lijkt het alsof hij met me meekijkt en meedenkt. Dan voel ik me met hem verbonden', zegt mama. 'Wat is verbonden?', vraagt Nienke. 'Dat is als je je een beetje samen voelt', legt mama uit. Nienke denkt even na. Dat heb ik ook wel eens. Laatst toen ik op school niet gekozen werd met gym, vond ik iedereen stom, en mijzelf ook. Maar toen voelde ik dat papa naast me zat en mijn hand vasthield en voelde ik me beter. Dat was heel fijn eigenlijk.' 'Misschien kunnen we papa wel proberen te bellen', zegt mama. 'Papa praat niet echt terug maar misschien voel je wel dat hij er is. Misschien praat hij wel in een ander soort taal, een gedachtetaal bijvoorbeeld', vertelt mama. 'Ja', zegt Nienke, 'dat wil ik wel proberen, dan kan ik hem alles vertellen, waar ik ook ben, en hoef ik niet steeds naar zijn graf.
Bellen is fijner en minder eng.

Die begraafplaats vind ik eigenlijk altijd een beetje eng, mama. 'Nou, dan gaan we zeker eens proberen te bellen', zegt mama geruststellend.

Nienke heeft er dorst van gekregen en trekt haar jas weer uit. Ze loopt naar de keuken en pakt iets te drinken. Als ze de hele beker heeft leeggedronken, komt mama naar beneden. Ze heeft een telefoon bij zich. Een heel mooie telefoon, een gouden! 'Kijk Nienke, dit is de hemeltelefoon, hiermee kun je papa bellen als je iets wilt vertellen.' 'Maar als papa nu niet opneemt?', vraagt ze. 'Dan is hij misschien even druk bezig', zegt mama. 'Ja, misschien is hij dan wel racen', zegt Nienke. 'Dat kan, en dan kun je het later weer proberen.' 'Of zijn voicemail inspreken?' 'Ja, of zijn voicemail inspreken', glimlacht mama. 'Ik ga het meteen proberen', zegt Nienke, 'wat is het nummer mama?' 'Misschien is het wel 43635 (HEMEL).'

7. Steengoed

Vandaag is het verjaardagsfeestje van Jasper, de beste vriend van Tim. Tim heeft van zijn zakgeld een heel mooi cadeau gekocht voor Jasper. Hij heeft er lang voor moeten sparen want het was best duur. Tim heeft namelijk een Jakobsladder gekocht voor Jasper. Toen hij en Jasper een paar maanden geleden bij Jaspers opa waren, zagen ze er een andere jongen mee spelen.

Jasper vond het geweldig wat hij zag: rare blokjes aan elkaar, ze leken te vallen en te vallen maar toch vielen ze niet écht en zaten ze vast. Het leek wel op goochelen!
Na lang zoeken had Tim dit 'rare ding' gevonden. Het heet een Jakobsladder en hij hoopt dat Jasper het erg mooi vindt.
Tim is bijna bij Jasper. Hij is erg benieuwd naar het feestje, want Jasper heeft geheim gehouden wat ze gaan doen. Tim heeft, terwijl hij onderweg naar Jasper is, al van alles bedacht. Wat zou het toch zijn? Zwemmen? Nee, dat kan niet want niemand heeft een zwembroek bij zich. Uuuh... bowlen misschien? Of naar het bos? Hij weet het niet. Maar het maakt niet uit, want zo is het spannender!

Sam en Christ zijn er al. Alleen Job moet nog komen en dan kunnen ze gaan, vertelt Jaspers moeder als Tim komt aanfietsen. Jasper straalt! Hij is jarig én hij weet waar ze heen gaan.

Daar komt Job al aan! 'Juh, nu zijn we er allemaal!', roept Christ. 'We kunnen gaan.' 'Maar waarheen?', vraagt Sam. 'Instappen maar', zegt Jaspers moeder, 'we vertrekken.' Allemaal stappen ze snel de auto in. Met een beetje proppen passen ze er allemaal in.

Na een kwartiertje stopt de auto. 'We zijn er', zegt Jasper. 'Kermis!', roept Sam, 'we gaan naar de kermis!' 'Juhjuh', roepen ze allemaal.

Ze stappen uit en maken afspraken met de moeder van Jasper. Dat ze bij elkaar blijven en dat als ze elkaar tóch kwijtraken, ze naar de auto moeten komen bijvoorbeeld.
De jongens vinden het maar wat spannend. Ze mogen in vijf attracties, maar ze willen wel in álles. Het reuzenrad, de HullieGullie, de botsauto's, de Supertrooper, de rups, the Wonka-ride en het spookhuis natuurlijk. Daar willen ze allemaal wel in. Nou allemaal? Iedereen dan, behalve Tim.

Tim vindt het spookhuis niet zo leuk, een beetje eng zelfs. Maar met zijn vrienden wil hij wel, want dan voelt hij zich wat veiliger. Als hij niet gaat, vinden ze hem misschien een watje. En dat kan natuurlijk niet, denkt hij.

Gelukkig gaan ze eerst in het reuzenrad. Helemaal boven in het rad, op het hoogste punt, kunnen ze de hele kermis en de hele stad overzien. Ze kijken hun ogen uit. 'Ik wil naar het spookhuis jongens', roept Christ. 'Ik ook', roept Jasper, 'zullen we daar dan zo naar toe gaan? Ik kan vanaf hier zien hoe we er moeten komen.' Iedereen knikt enthousiast. Tim knikt een klein beetje.
Bij het spookhuis aangekomen, moeten ze twee-aan-twee in een karretje gaan zitten. Job is als eerste aan de beurt en stapt in bij een jongen die hij niet kent. Sam gaat met Christ en Tim stapt met Jasper in.
En dan gaan de karretjes rijden. Tim is een beetje bang... hij weet helemaal niet wat er komen gaat en dat is spannend,

maar ook een beetje eng. Voor zich hoort hij Job gillen! Ohoh, wat gaat er nu komen? Een draak? Een heks? Tim kijkt recht vooruit en durft niet achterom te kijken. 'Ik hoef niet bang te zijn', zegt hij tegen zichzelf, 'want het is toch allemaal maar nep.
Het is een soort spelletje, en daarom staat het op de kermis, want op de kermis staan allemaal spelletjes.' Dan ineens voelen Jasper en hij een koude windvlaag: ze schrikken ervan..., 'Boehoehoehoe', klinkt het, en er vliegt heel snel een spook voorbij. 'Pff, dat was eng', fluistert Jasper. Tim ziet dat ook Jasper het een beetje eng vindt. Dat is wel fijn, want dan vindt Jasper hem vast niet stom.

Het karretje stopt even..., wat gaat er nu gebeuren?? 'Oohohoh we trillen', zegt Jasper. In een flits grijpt Tim in zijn zak. Daar zit zijn steen. Dat had hij al veel eerder moeten doen. Meteen voelt hij zich een beetje sterker. Het karretje gaat weer rijden en er komt iemand met een bijl op hen af... 'Aaaaaaaah', gilt de rare man... Nu kan Tim er wel een beetje om lachen. Hij ziet dat het nep is, met nepbloed en een plastic bijl. Met zijn duim wrijft hij even over de steen, hij is nog een beetje ruw, met harde stukjes zeg maar. Maar toch, hij is al veel zachter en ronder dan toen hij hem kreeg. Toen was papa net dood en was hij heel verdrietig. Nu pakt hij soms zijn steen als hij verdrietig is. Dan probeert hij de ruwe steen wat 'zachter' te maken. Met een schuur-

papiertje en een beetje water gaat hij dan aan de slag. Hij wil er ook een mooie vorm van maken, maar dat komt later wel.

Soms, als het een beetje eng of spannend is, pakt hij even zijn steen in zijn hand en dan is papa er weer even. Papa, die Tim altijd hielp als hij iets moest doen wat hij nog niet kon.
Dat dacht Tim dan, dat hij iets niet kon, maar papa zei altijd dat Tim het wel kon.
Vaak had papa gelijk.
Gelukkig maar!

Dan ineens zijn ze weer buiten. De rit is over. 'Wooh, vet eng man', zegt Jasper. 'Jaah vet eng, maar wel vet cool', zegt Tim, die met zijn hand in zijn broekzak de steen vasthoudt.

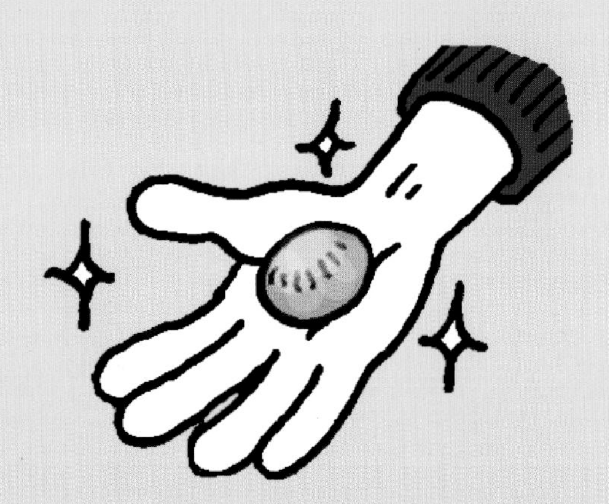

8. Knuffelkruik

Nienke moet lachen, zomaar ineens! Nou ja, zo lijkt het, want ze heeft een binnenpretje. Dat hebben sommige mensen wel eens. Nienke zit op de grond te puzzelen met Bob de Bouwer en ineens moet ze denken aan wat Tessa laatst vertelde.

Ze had op school een opstel geschreven over papa die, toen hij klein was, een cavia had die 'Koe' heette. Nou, dát was al grappig, maar Nienke zag ineens een plaatje voor zich van haar papa als baby. Dát is pas grappig! 'Hoe kan mijn papa ooit een baby zijn geweest?' vraagt ze zich af. Ze kan het bijna niet geloven en moet er weer om grinniken.

Dan krijgt ze een idee. 'Mam, waar zijn de foto's?', vraagt ze. 'Wat zeg je?', hoort ze vanuit de verte. Mama kan haar helemaal niet verstaan, want die is buiten in de tuin bezig met bloemetjes. Door het raam roept Nienke: 'Mam, waar zijn de foto's, ik wil foto's kijken.' Nu heeft mama haar gehoord.

'In de dozen onder in de grote kast van oma. Doe je wel voorzichtig?' 'Jaha', roept Nienke, en ze is al bij de kast. Aha, daar staan ze! Ze trekt er twee dozen uit en gaat er naast zitten. Foto's kijken is altijd leuk! Maar het is helemaal leuk en spannend als je naar iets op zoek bent, dan wordt het een beetje een speurtocht! Nienke is op zoek naar een foto van papa waar hij als baby op staat, en ze kan niet wachten! 'Wat doe je?', vraagt Tessa als ze binnenkomt. 'Ik zoek papa als baby', zegt Nienke. 'Oh, dat is leuk, mag ik meedoen?' Tessa vergeet meteen dat ze huiswerk zou gaan maken met Tim en gaat naast haar kleine vriendinnetje zitten. Het lijkt net alsof Nienke een beetje haar zusje is en dat vindt Tessa wel leuk. Bij Tim thuis is het fijn, want Tim en Nienke snappen Tessa wel een beetje. Tessa's papa woont helemaal aan de andere kant van het land nu haar papa en mama gescheiden zijn. En zij mist haar papa ook vaak. De papa van Tim en Nienke is dood en hoewel dat anders is, missen ze alledrie hun papa heel erg.

'Welke foto's heb je al gehad?' vraagt Tessa. Nienke wijst naar de linkerdoos. 'Oké, dan zitten ze hopelijk in de andere doos', zegt Tessa.

'Hey kijk, Moepsje!', roept Nienke en ze houdt een foto omhoog van een cavia. 'Maar dat is Moepsje helemaal niet, dat is mijn papa's cavia 'Koe' van toen mijn papa klein was. Hey, dan moet mijn papa als baby in de buurt zijn!', bedenkt Nienke. Tessa's papa en Nienkes papa waren al héél lang vrienden, vanaf ze héél klein waren. En ja hoor, twee foto's verder zit een foto van kleine papa. Samen kijken ze ernaar. Ze worden er stil van. 'Hij lijkt wel een beetje op Tim, hé Tessa?' zegt Nienke. 'Nee joh gekkie, Tim lijkt op papa!' Samen lachen ze om Tessa's grap.

'Raar hé, om te bedenken dat jouw papa ook klein is geweest?', zegt Tessa.

Nienke knikt. 'Oma Lien als de mama van papa is ook heel raar. Kijk, op de foto had ze nog niet zo'n gekke hoed en bril.' Tessa laat Nienke de foto van kleine papa met oma Lien zien.
'Gelukkig zit papa gewoon als papa in mijn hoofd', zucht Nienke, en ze rommelt nog wat in de doos. 'Kijk zo!', roept ze uit, terwijl ze de foto van papa in zijn lievelingsbloes aan Tessa laat zien.
'Zo zit papa in mijn hoofd.' 'Haha', zegt Tessa, 'dat is grappig, jouw papa zit in mijn hoofd als een fietser, als het racemonster in zijn strakke pakje en met helm', zegt ze. 'Dezelfde papa maar met een ander plaatje in je hoofd', zegt mama ineens. Ze is klaar met het planten van de bloemetjes en ziet Tessa en Nienke samen op de grond kletsen.

'Mam, waar zijn papa's racekleren eigenlijk en zijn mooie bloes?', vraagt Nienke. 'Die liggen in de doos op onze slaapkamer', zegt mama. 'Willen jullie ze even vasthouden?' Ze knikken.
'Madelon, kunnen we er niet iets leuks van maken, zodat de papa van Tim en Nienke altijd een beetje bij ons is zoals hij in ons hoofd zit?', vraagt Tessa.
'Jaah, iets wat we altijd mee kunnen nemen of zo', zegt Nienke. 'Wat een goed idee meiden. Pakken jullie de kleren maar alvast, dan gaan we bedenken wat we ervan kunnen maken.'
Tessa en Nienke rennen de trap op naar de slaapkamer.
Ze halen de doos tevoorschijn en nemen de kleren mee naar beneden.

'Wat dachten jullie van een klein knuffeltje?, zegt mama. 'Zó klein dat je het bijna in je zak kunt stoppen. Dan maken we een soort van jasje van papa's kleren. Voor jou, Nienke, gebruiken we dan de bloes. Want zo zit papa in jouw hoofd. En voor jou Tessa, gebruiken we papa's racepakje. Als dat goed lukt, kunnen we misschien ook nog iets maken voor jou van je eigen papa. Als je de volgende keer bij hem bent dan vraag je of je iets mag hebben van zijn kleren om een knuffelkruik te maken. Dan oefen je nu eerst met het race-pakje van de papa van Tim en Nienke.' Dat lijkt ze wel wat. Mama loopt nog even naar de keuken en komt terug met haar kussentje. 'En dan stoppen we er kersenpitjes in, want dan kunnen jullie het knuffeltje lekker warm maken en gebruiken als kruikje voor in bed.' 'Jaah, wat een goed idee Madelon', zegt Tessa. 'Dan heb ik nooit meer koude voeten en maakt papa ze toch een beetje warm', zegt Nienke. 'Onze eigen knuffels.'

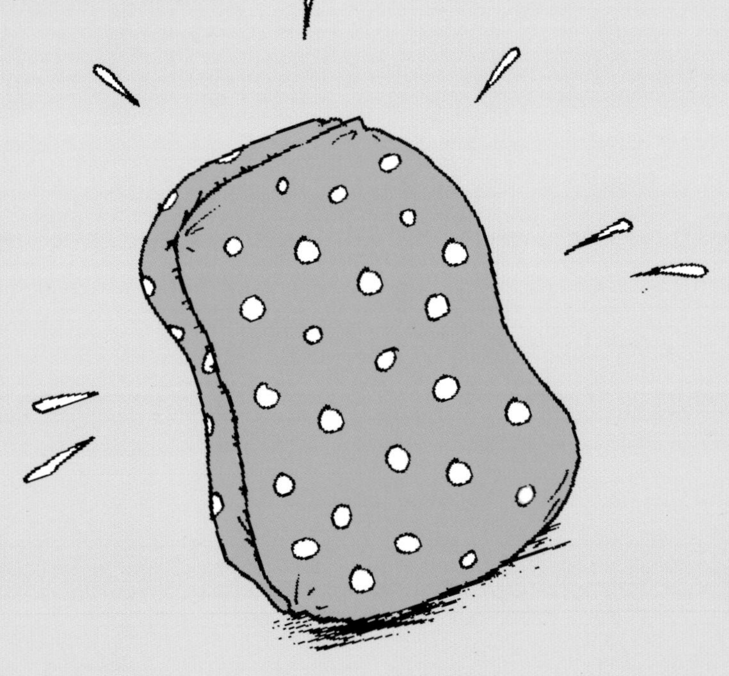

HOE MAAK IK ...

1. Hoe maak ik: Herinnerzinnen

Herinnerzinnen zijn zinnen die je herinneren aan de tijd toen alles nog gewoon was. Toen papa en mama nog bij elkaar waren of toen degene die nu dood is nog leefde. Andere mensen die weten hoe het vroeger bij jou thuis was, kunnen je dingen vertellen die je misschien niet wist of die je vergeten bent. Ze vertellen misschien ook dingen die je je nog kunt herinneren. Om jou te helpen het te onthouden, kunnen ze het voor jou op kleine papiertjes schrijven: herinnerzinnen. Tessa heeft ze ook, zo kwam ze er achter dat haar papa vroeger een cavia had.

Wat heb je nodig?

- ☆ Doosje (Bijvoorbeeld een doosje van Xenos)
- ☆ (Gekleurd) papier
- ☆ Touwtjes of draad/garen
- ☆ Schaar
- ☆ Liniaal
- ☆ Mensen die weten hoe het bij jou thuis was voor de scheiding of mensen die de overledene hebben gekend
- ☆ Mooie pennen/stiften/potloden om mee te tekenen

1. Kies een mooi doosje of ga er in de winkel speciaal eentje kopen!

2. Dit doosje gaan we vullen met zinnen die je aan iets van vroeger herinneren. Je moet eerst meten hoe hoog het doosje is. Bijvoorbeeld 5 cm.

3. De rolletjes die we gaan maken, mogen niet hoger zijn dan 5 cm, anders passen ze niet in het doosje! Je knipt rechthoekjes van bijvoorbeeld 5x8cm. Ze mogen ook allerlei verschillende kleurtjes hebben als je dat leuk vindt.

4. Nu kun je aan mensen die nog weten hoe het bij jou thuis was toen het nog niet was gebeurd, vragen of ze iets willen vertellen. Je kunt het aan vrienden vragen, aan opa en oma, ooms en tantes, neven en nichten, of wie je maar kunt bedenken. Zij kunnen voor jou een papiertje invullen.

5. Daarna rol je de papiertjes op, bind je ze vast met een mooi touwtje en stop je ze in het doosje.

6. Je kunt er net zoveel maken als je wilt totdat het doosje vol is!

2. Hoe maak ik: Kwartet

Dit is een speciaal kwartet. Het is namelijk helemaal van jou/jullie. Je kunt het helemaal zelf maken! Het gaat over jou, en misschien wel over je zusje of broertje, net zoals bij Tim en Nienke, en over hun papa die er niet meer is. Of over je papa of mama die ver weg woont, zoals bij Tessa. Je mag het zelf kiezen! Normaal is een kwartet een setje van vier kaarten maar bij dit speciale kwartet mag het ook een ander getal zijn, bijvoorbeeld vijf zoals in dit boek.

Wat heb je nodig?

☆ Schaar
☆ Foto's
☆ Tijdschriften
☆ Lijm
☆ Eventueel Boeklon (kaftplastic)
☆ Pennen en potloden

1. Eerst ga je bedenken met hoeveel mensen je thuis dit spelletje wilt spelen. Bijvoorbeeld bij Tim en Nienke thuis zijn ze met twee kinderen, dan is er hun vriendinnetje Tessa en natuurlijk mama. Dat is dan vier. Maar papa is ook nog heel belangrijk, die mag ook een beetje meedoen. Dan zijn het vijf mensen.

2. Het kwartet heeft allemaal groepjes. Er is bijvoorbeeld een groepje 'favoriet plekje'. Omdat het kwartet helemaal over jou gaat, mag je dat zelf invullen. Weet je al wat je favoriete plekje is? Misschien wel je boomhut? Als dat zo is, heb je er misschien een foto van of je kunt er een foto van maken.

Deze leg je apart, want dan kun je hem kopiëren voor het kwartet. Vraag even aan een ouder iemand of dat mag en kan. Zo kun je kijken welke plaatjes jij bij de groepjes wilt hebben. De plaatjes mag je ook tekenen of schilderen als je dat liever doet. Let op! Ze moeten wel op het kaartje passen, dus je kunt niet te groot tekenen.

3. Uitknippen

De blaadjes met kwartetkaartjes haal je uit het boek (helemaal achterin). Plak ze op een velletje karton, want dan worden ze wat steviger. Daarna kun je ze uitknippen, of moet een ouder iemand ze uitsnijden. De plaatjes die je er zelf bij zoekt, hoeven niet op karton, die kun je uitknippen en opplakken.

4. Invullen en inplakken

Het invullen is best een moeilijk klusje, dus je kunt het beste een ouder iemand vragen of die helpt.

Hoe gaat het dan?
Stel je hebt alle kaartjes vijf keer, dan vul je ze in per groepje.
Je pakt bijvoorbeeld het groepje 'favoriet ETEN'.

Vul onderin bij de regeltjes met stipjes, onder elkaar de namen van de mensen die meedoen in. Dus bijvoorbeeld Tessa, Tim, Nienke, Mama (Madelon) en Papa (Pieter). Dat kan op elk kaartje hetzelfde.
Dan is er bovenin nog een klein regeltje, net onder 'favoriet ETEN'.
Daar moet één naam komen te staan. Pak nu het eerste kaartje van de groep en zet daar bijvoorbeeld neer: Tessa. En op het volgende: Tim, weer het volgende: Nienke. Op het vierde kaartje komt dan: Mama en op het vijfde: Papa.
Nu zijn de kaartjes van dit groepje bijna klaar!
Nu mag je het plaatje van jouw lievelingseten bij jouw kaartje plakken. Dat is het kaartje met op het bovenste stippellijntje jouw naam. Je moet wel een beetje passen en meten, anders past het niet op het kaartje!

Als dit klaar is, moet achter de naam in het onderste vakje met heel veel stippellijntjes nog staan wat je hebt ingeplakt. Dus als je lievelingseten 'spaghetti' is, dan moet achter je naam nog 'spaghetti' staan.

En zo moet je alle groepjes doen.
Het is wel even een klusje, maar als het af is, heb je je eigen spel!

5. Eventueel kun je ook nog de kaartjes lamineren, of er met boeklon overheen gaan. Dat is een soort plastic waarmee je de kaartjes beschermt. Ook hierbij kun je een ouder iemand vragen je te helpen.

6. En dan kun je gaan spelen!

Hoe speel ik: kwartet

Leg alle kaarten op een stapel met de plaatjeskant naar beneden.
Schud ze goed, zodat alle groepjes door elkaar liggen.

Geef iedereen die meedoet vijf kaarten. De rest leg je op een stapeltje midden op de tafel. Dat noem je 'de pot'.

Het spel kan nu beginnen!
De persoon rechts van degene die de kaartjes heeft geschud, mag beginnen. Hij of zij mag een kaart vragen aan iemand anders. Dus bijvoorbeeld als Tim aan de beurt is, kan hij aan Tessa vragen: 'Tessa, mag ik van jou van het groepje 'favoriet Eten' het kaartje van de zuurkool van papa?' Als Tessa de kaart niet heeft, mag Tim een kaart pakken van de pot. Heeft Tessa de kaart wel, dan moet ze deze aan Tim geven. Dan mag Tim nóg een keer. Net zolang tot degene aan wie Tim een kaartje vraagt, de kaart niet heeft. Dan moet hij een kaart uit de pot pakken.

Dan is degene rechts van Tim aan de beurt. Ook hij of zij mag aan iemand anders een kaartje vragen.
Als iemand alle kaartjes van het groepje heeft, heeft hij of zij 'kwartet'.
Dan mag hij/zij ze laten zien en op tafel leggen. Als je een kwartet hebt, is de volgende aan de beurt.

Je gaat net zolang door totdat iemand geen kaartjes meer heeft. Dan tel je de groepjes (kwartetten) van iedereen. Wie de meeste groepjes heeft, is de winnaar!
Als de pot 'op' is, ga je gewoon door, totdat iemand geen kaartjes meer heeft.

Veel plezier!

3. Hoe maak ik: Schatdoos

De schatdoos is een doos waarin je allerlei dingen stopt die belangrijk voor jou zijn. Tim en Tessa versieren een doosje en stoppen er dingetjes in die ze aan hun papa herinneren, want hun papa is heel belangrijk en ze missen hem erg. Jij kunt ook een mooi doosje versieren. Je kunt er iets in stoppen dat je doet denken aan die persoon of iets wat je zelf tekent of maakt. Dat mag je helemaal zelf weten!

Wat heb je nodig?

- ☆ Doosje (bijvoorbeeld een schoenendoos)
- ☆ Schaar
- ☆ Papier
- ☆ Mooie pennen en potloden
- ☆ Dingen die je herinneren aan degene bij wie je niet meer woont of aan degene die dood is
- ☆ Lijm
- ☆ Andere dingen die je wilt gebruiken om het doosje te versieren

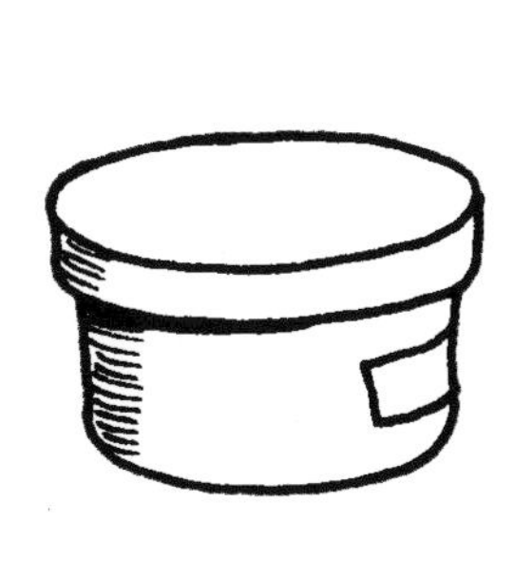

Eigenlijk is het heel simpel. Je mag alles zelf verzinnen. Zo kun je bijvoorbeeld het doosje in je lievelingskleur schilderen en er met mooie letters op zetten: 'Ik zal je niet vergeten.' Als het voor je papa is, kun je erop schilderen: 'Papa ik denk aan je' of 'Papa ik vind je lief'. Maar misschien weet je wel een veel mooiere zin.

Dan kun je verzamelen wat je belangrijk vindt. Tim heeft er bijvoorbeeld de riem van papa in gedaan, en een stropdas die papa altijd naar zijn werk om had. Tessa heeft een heel mooi briefje gemaakt met een plaatje van een hartje met een pijl erdoor. Ze heeft erop geschreven dat haar hart er zo uitziet. Dat het een beetje pijn doet en dat ze papa mist.

Je kunt de doos volstoppen met héél veel spulletjes. Misschien doe je er maar een of twee dingen in. Je kunt die neerleggen op een mooi stofje, of op veertjes of watten. Kijk maar wat je mooi vindt.

4. Hoe maak ik: Kledingdingen

Als je iemand heel erg mist, omdat diegene dood is of niet altijd meer bij je is, dan zijn er misschien kleren die over zijn en niet meer door diegene gedragen kunnen worden. Aan sommige kledingstukken heb je vast goede herinneringen. Zoals die trui die Nienke zo mooi vond van haar vader. Nienke heeft toen met haar moeder, Tim en Tessa bedacht dat ze er een kussen van wilde maken. Maar je kunt natuurlijk ook iets anders van een trui maken, een tas bijvoorbeeld. Of je kunt van een broek een tas maken. Of misschien weet je zelf nog wel iets veel leukers. Als je met de naaimachine wilt werken, moet je even aan een ouder iemand vragen of die je wil helpen.

Wat heb je nodig?

- ☆ Oude kledingstukken van de persoon die je mist. Neem bijvoorbeeld kledingstukken die je mooi vindt, lekker vindt ruiken of waar je goede herinneringen aan hebt.
- ☆ Schaar
- ☆ Naald en draad (eventueel een naaimachine)
- ☆ Schuimvulling (voor het kussen)
- ☆ Spelden

Trui-kussen

1. Zoek de trui die je graag als kussen wilt hebben. Het is extra fijn als 'ie' lekker zacht is!

2. Naai de bovenkant (bij de hals, daar waar je hoofd doorheen moet als je 'm aan zou doen) van de trui dicht met naald en draad of wol. Wol is wat dikker, dat zie je beter.

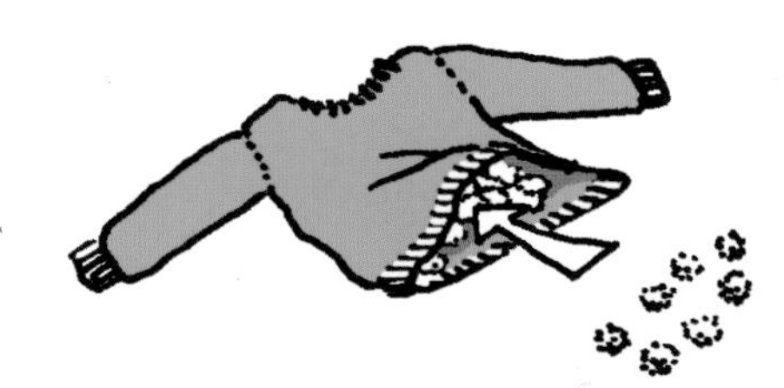

3. Speld de mouwen bij de oksels even dicht, zo kan er geen schuim in komen.

4. Stop nu de schuimvulling via de onderkant in de trui. Hij mag lekker vol zitten, want dan heb je een dik kussen!

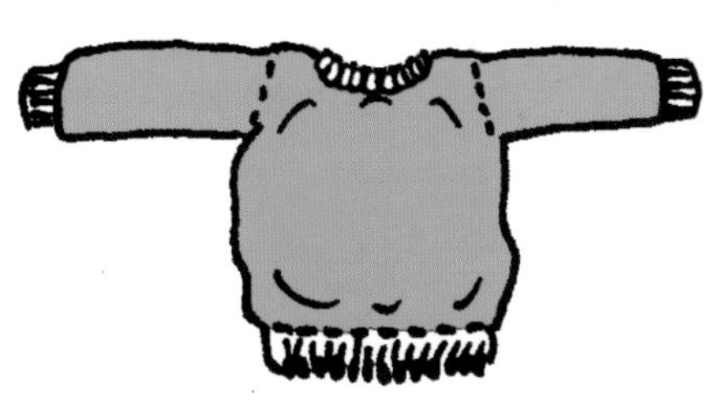

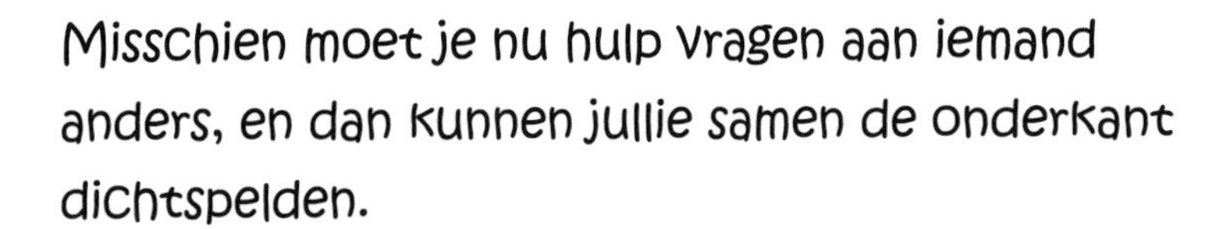

Misschien moet je nu hulp vragen aan iemand anders, en dan kunnen jullie samen de onderkant dichtspelden.

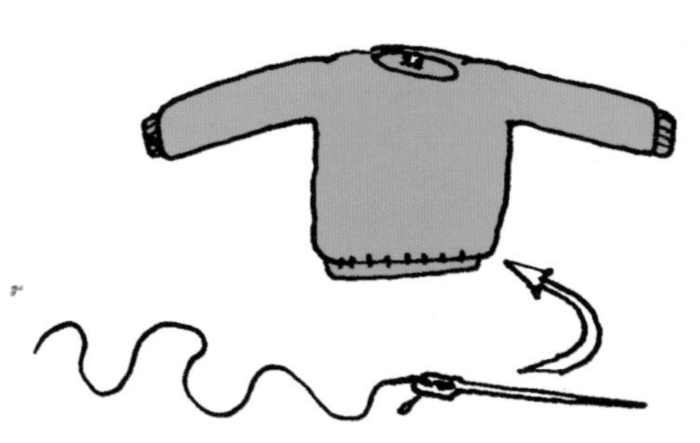

5. Je kunt de onderkant dichtnaaien met naald en draad.

6. Nu heb je al bijna een kussen. Alleen de mouwen hangen nog een beetje raar. Die vouw je naar voren over elkaar heen en speld je ze weer vast.

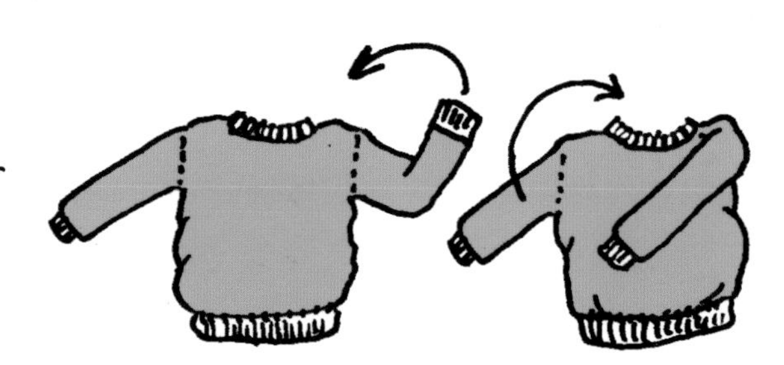

7. Met naald en draad moet je ze vastzetten. Dat is wel een beetje moeilijk maar je kunt het vast!

Nu is het kussen af!

Trui-tas

1. Zoek een trui die je graag als tas wilt hebben.

2. Speld de onderkant van de trui dicht en naai deze dicht met naald en draad of wol.

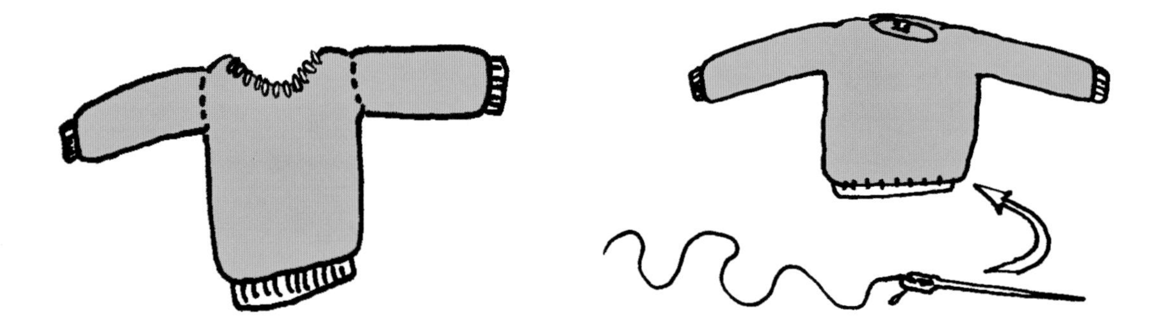

3. Vouw de bovenkant, de hals waar je normaal je hoofd door steekt, naar beneden.

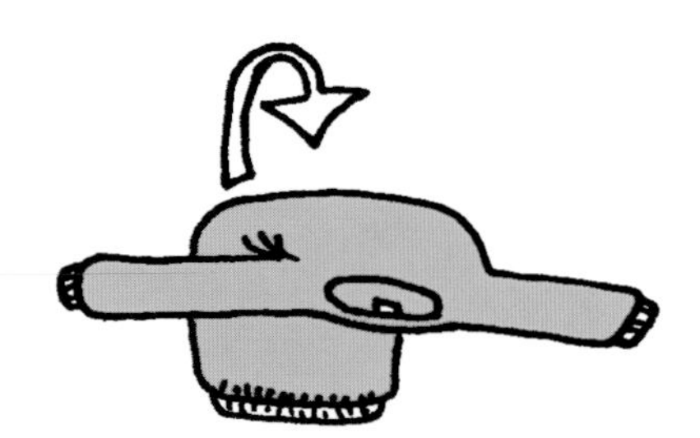

4. Zet dit vast met naald en draad. Let op dat je de tas niet dichtnaait! Het is een moeilijk klusje omdat je met je hand in de trui moet om de bovenkant vast te zetten op de onderkant. Je zorgt er zo voor dat de tas niet meer 'omklapt'.

5. Zet de mouwen aan elkaar, dit kun je met naald en draad of wol doen.
De tas heeft een klein 'hengsel' dus hij hangt best wel hoog. Zo kun je 'm goed beschermen. Als je de tas zo omdoet dat de opening (de hals) altijd tegen je aanzit, kunnen dieven er niet zo snel bij! Dit is een veilige tas!

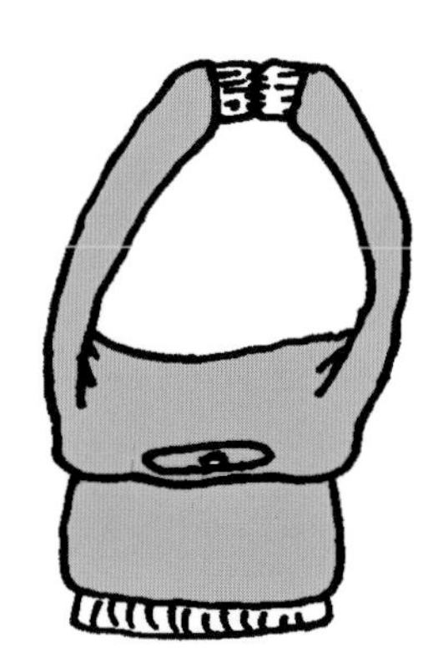

5. Hoe maak ik: Lief lichtje & gedichtje

Lief lichtje is een kaars die je kunt aansteken als je daar behoefte aan hebt. Als je aan iemand wilt denken die er niet meer is, of die niet zo vaak meer bij je is als je zou willen. Pas wel op met de kaars. Het is natuurlijk wel vuur, en je mag er niet mee spelen als hij aan is. Ook moet er altijd een ouder iemand bij zijn als je de kaars wilt aandoen.

Wat heb je nodig?

☆ Kaars
☆ Verf
☆ Was (kun je bij een hobbywinkel zoals Pipoos kopen)
☆ Zeep (vloeibaar is het makkelijkst)
☆ Water

Verven

1. Doe een beetje zeep in een bakje. Pak de kleur die je op de kaars wilt schilderen en meng dit met een beetje zeep. De zeep hoort erbij omdat de verf anders niet op de kaars 'blijft plakken'.

2. Nu kun je mooie figuren schilderen of schrijven, of wat je maar wilt.

Was

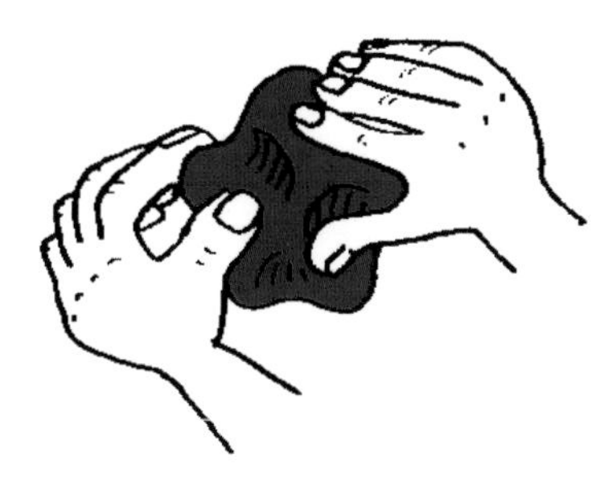

1. Pak een klein beetje was uit de verpakking en kneed deze met je handen.
Als het een beetje warm wordt, wordt het ook zachter en kun je er perfecte balletjes en rolletjes van maken. Of letters!

2. Als je deze af hebt en ze zijn nog een beetje warm, kun je ze op de kaars drukken en tadada, na goed aandrukken blijft het plakken! . Er zijn ook was-liners te koop, een soort stiften met was waarmee je heel gemakkelijk op een kaars kunt schrijven.

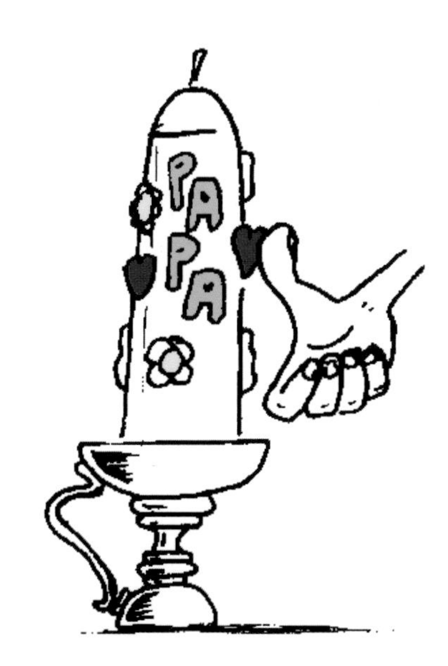

Gedichtje

Zelf een gedichtje maken is helemaal niet zo moeilijk. Gedichtjes hoeven namelijk niet te rijmen, maar het mag wel. Je mag het helemaal zelf verzinnen. Bijvoorbeeld:

Als ik de wolken zie,
de zon en de bomen
Dan wil ik het aller- allerliefste naar je toekomen

In een gedichtje kan bijvoorbeeld staan wat je graag wilt doen. Of je kunt vertellen wat je gegeten hebt, of iets vragen wat je graag wilt weten. Alles kan.

6. Hoe maak ik: Hemeltelefoon

De hemeltelefoon is een telefoon waarmee je naar de hemel kunt bellen. Nienke probeert bijvoorbeeld in het verhaal papa te bellen, omdat ze hem veel wil vertellen over alle leuke dingen die ze op school heeft meegemaakt. Ook jij kunt proberen iemand in de hemel te bellen. Het kan zijn dat je niets hoort, maar misschien heb je wel het gevoel dat er iemand luistert.

Wat heb je nodig?

- ☆ Oude telefoon
- ☆ Spuitbus goud
- ☆ Eventueel afplaktape en oude kranten

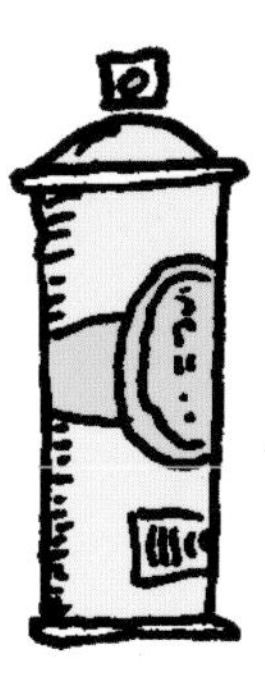

* Noot voor de ouder:

Niet voor ieder kind is dit een geschikt item. Laat het aan het kind zelf over of hij of zij door het verhaaltje is geïnspireerd om zelf een hemeltelefoon te maken. Je kunt er ook een 'sterren- of wolkentelefoon' van maken.

Je kunt een oude telefoon gebruiken die het niet meer doet. Vraag dan even aan een ouder iemand of je deze mag gebruiken. Deze telefoon kun je 'speciaal' maken door hem in een bepaalde kleur te spuiten bijvoorbeeld. In het verhaal heeft mama hem goud gemaakt.

7. Hoe maak ik: Steengoed

Steengoed is een steen die ruw is en langzaam steeds gladder wordt.
Vaak is het met pijn ook zo. Als je zoals Tim veel verdriet hebt om de dood van iemand, kan het soms helpen om te bedenken dat de pijn minder kan worden. Het lijkt helemaal niet zo, maar je moet maar denken aan een steen. Als je een steen vindt, kan deze heel ruw zijn, met punten en harde stukjes. Als heel veel mensen deze steen in hun hand pakken en doorgeven, wordt de steen steeds minder puntig en minder ruw en dus een beetje gladder. Het slijt een beetje. Als jij verdriet hebt, kan het soms helpen om erover te praten of om iets te tekenen, te schilderen of te maken. Als je verdrietig bent en je weet even niet wat je ermee moet doen, dan kun je denken aan de steen. De steen maak je zachter door deze te schuren of door deze af en toe vast te pakken en er met je handen over te wrijven..

Wat heb je nodig?

- ☆ Steen (speksteen, verkrijgbaar in een hobby-winkel)
- ☆ Schuurpapier (verschillende korrelgrootten)
- ☆ Eventueel een touwtje
- ☆ Bekertje water
- ☆ Een doekje om te polijsten/glad te wrijven

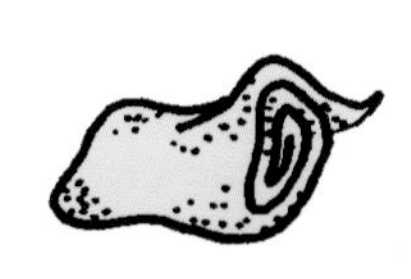

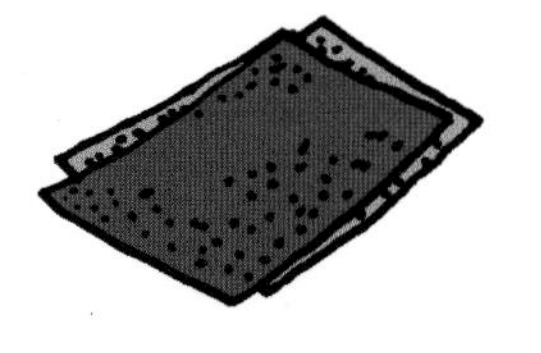

In het begin is de steen nog een soort 'brok'. Deze kun je gaan schuren om hem 'zachter' te maken. Als je gaat schuren, begin je met een schuurpapier met heel weinig korrels. Hoeveel korrels het zijn staat op de achterkant van het schuurpapier. Wrijf met het papier over de steen. Al snel zie je dat je er zelf een beetje hebt afgehaald! Je kunt zo ook zelf bepalen welk stukje je eraf haalt en gladder probeert te maken, en welk stukje niet. Als het heel glad moet worden, kun je steeds een ander schuurpapiertje pakken, met een hoger getal. Dat betekent dan dat er meer korreltjes zijn.

Je kunt ook vragen of een ouder iemand een gaatje wil boren in de steen. Of je vraagt het in de winkel. Door het gaatje kun je een mooi touwtje halen en dan kun je de steen om je nek hangen als een ketting. Of je kunt hem in je zak bewaren, wat je maar wilt.

8. Hoe maak ik: Knuffelkruik

Een knuffelkruik is een kruik gemaakt van een kledingstuk van iemand die je mist. Het kruikje kan in de magnetron want er zitten pitjes in die lekker warm worden. Degene die je mist is dan een beetje dichterbij en je kunt het warme kruikje overal mee naartoe nemen.

Let op: Misschien ben je nog net een beetje te klein om met een naald en draad iets te maken. Dan kun je beter een ouder iemand vragen om je te helpen. Hij of zij kan misschien een naaimachine gebruiken, zodat het wat sneller gaat.

Advies: vooral bij gebruik door kleine kinderen is het handig een binnenzakje te maken. Hiermee voorkom je dat er pitjes uitvallen en ergens in komen waar ze niet horen. Dat kan gevaarlijk zijn! Bij het dichtnaaien met naald en draad met de hand is de festonsteek het best, maar de stiksteek kan ook. Zorg dan dat je kleine steekjes gebruikt en desnoods twee keer rond gaat om te zorgen dat het goed vast/dicht zit.

Wat heb je nodig?

- ☆ Stof, (van bijvoorbeeld een kledingstuk) een lapje dat je doet denken aan degene die overleden is
- ☆ Voorbeeldpatroon uit het boek
- ☆ Naald
- ☆ Draad, in een kleur die ook in de stof voorkomt

- ☆ Kersenpitten, druivenpitten, tarwe (uit bijvoorbeeld een kussentje van Xenos of Blokker)
- ☆ Eventueel extra stof voor een binnenzakje, tegen het 'lekken' van naadjes
- ☆ Schaar
- ☆ Papier
- ☆ Spelden
- ☆ Trechtertje; als je deze niet hebt kun je zelf een trechter maken. Hier heb je papier en plakband voor nodig.
- ☆ Eventueel een naaimachine

1. Zoek een lapje stof dat je doet denken aan de overledene, een mooi stukje waar je een knuffel van wilt maken. Kies geen stofje waar een metaaldraadje in zit. Dat is niet zo handig. Je kunt wel een stukje van een sjaal, een rok of broek gebruiken als dat mag, maar dat moet je eerst vragen.

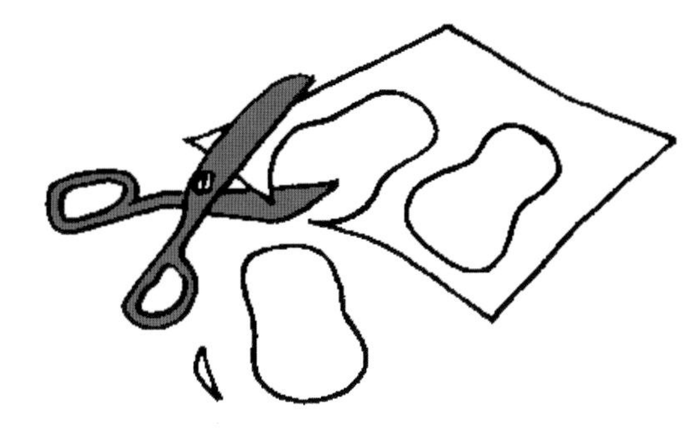

2. In het boek staat op de bladzijde 57 een voorbeeld. Je kunt ditzelfde kruikje maken, maar een andere vorm kan ook. Dan moet je eerst zelf een vorm tekenen en die nog een keer overtrekken of kopiëren.
   De vorm in het boekje trek je 2x over op papier, zodat je niet in het boek hoeft te knippen of te scheuren.

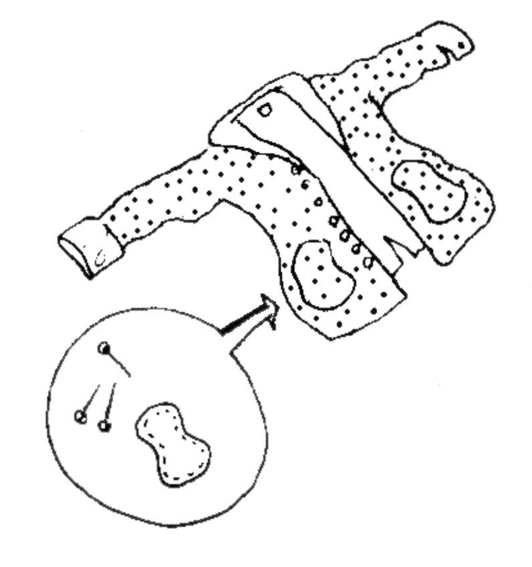

3. Dit vormpje knip je uit en leg je op de stof.

4. Speld het vormpje vast op de stof en knip het uit. Je mag het ietsje groter knippen dan de vorm zelf.

5. Dan heb je twee lapjes stof. Het papier haal je eraf en de lapjes stof leg je binnenstebuiten op elkaar. De mooie kant zit verstopt aan de binnenkant.

6. Je maakt met speldjes de lapjes aan elkaar.

7. Nu kun je deze dichtnaaien met naald en draad (of de naaimachine). Zorg dat het goed vastzit! Je moet nog een klein stukje openlaten, om de stof weer terug te kunnen draaien. Dan komt namelijk de mooie kant weer naar buiten!

8. Als je het bijna helemaal hebt dichtgenaaid, probeer je de stof door het kleine gaatje te proppen. Dat is een beetje moeilijk, maar als je het voorzichtig en langzaam doet, lukt het wel.

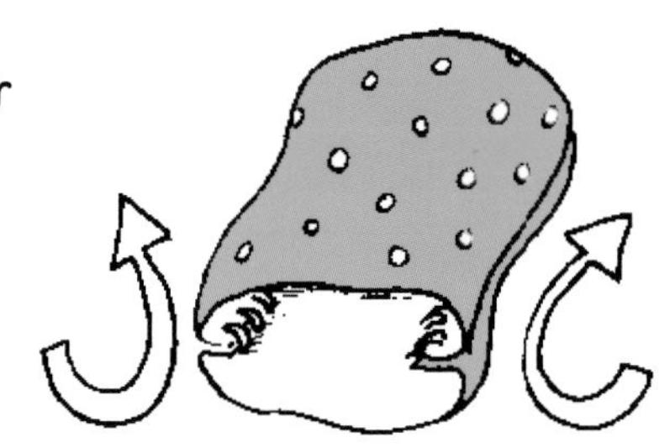

9. Nu zit de mooie kant weer aan de buitenkant. Het knuffeltje is nog leeg, dat gaan we nu vullen met pitjes. Je kunt een trechtertje gebruiken of er zelf eentje vouwen van een papiertje. Hoe dat moet staat hieronder. Met het trechtertje vul je het knuffeltje met pitjes.

Zelf een trechtertje vouwen:

10. Het knuffeltje is nu bijna af! Je moet het laatste stukje nog even dicht-naaien anders vallen alle korrels eruit. Je kunt het eerst even dichtspelden. Misschien heb je daar iemand bij nodig, want het is best moeilijk om vast te houden en tegelijkertijd dicht te naaien.

11. Nu is 'ie' af! Controleer voor alle zekerheid nog even of er niets uitvalt. Als je nu een keertje wilt denken aan degene die dood is, kun je het knuffelkruikje erbij pakken en in de magnetron doen. Dan wordt hij lekker warm en kun je hem in je hand houden of in je zak stoppen. Als je het koud hebt, kun je hem mee naar bed nemen.

Kwartetkaartjes

Op de volgende pagina's staan de kwartetkaartjes. Je kunt ze uitknippen of uitsnijden. De laatste pagina met de verschillende kleuren kwartetkaartjes is een ander kwartet. Het werkt op dezelfde manier, alleen gaat het niet over je 'favoriete' dingen, maar over je gevoel. Wat maakt je blij of wat maakt je boos? Je kunt dit allemaal invullen. Dit kwartet moet je eerst even kopiëren, zoveel keren als er mensen zijn. Kijk maar even naar het 'Favoriete' kwartet, dan zie je hoe het moet.

favoriete
Dier ....

....
....
....
....
....

favoriete
Dier ....

....
....
....
....
....

favoriete
Dier ....

....
....
....
....
....

favoriete
Dier ....

....
....
....
....
....

favoriete
Dier ....

....
....
....
....
....

favoriete
Dier ....

....
....
....
....
....

favoriete Muziek ....

....
....
....
....
....

favoriete Muziek ....

....
....
....
....
....

favoriete Muziek ....

....
....
....
....
....

favoriete Muziek ....

....
....
....
....
....

favoriete Muziek ....

....
....
....
....
....

favoriete Muziek ....

....
....
....
....
....

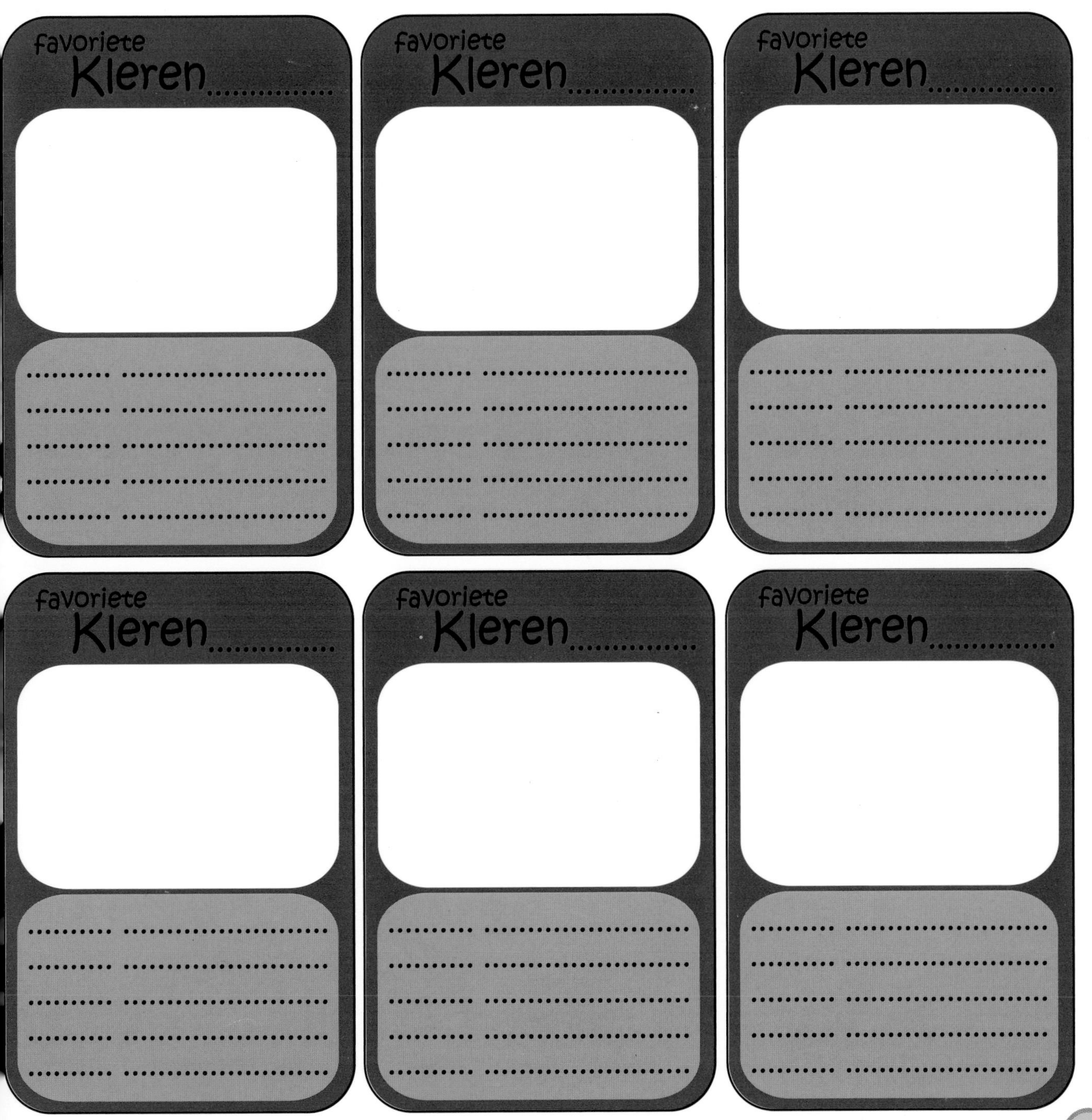
favoriete Kleren
favoriete Kleren
favoriete Kleren
favoriete Kleren
favoriete Kleren
favoriete Kleren

favoriete
Eten
favoriete
Eten
favoriete
Eten
favoriete
Eten
favoriete
Eten
favoriete
Eten

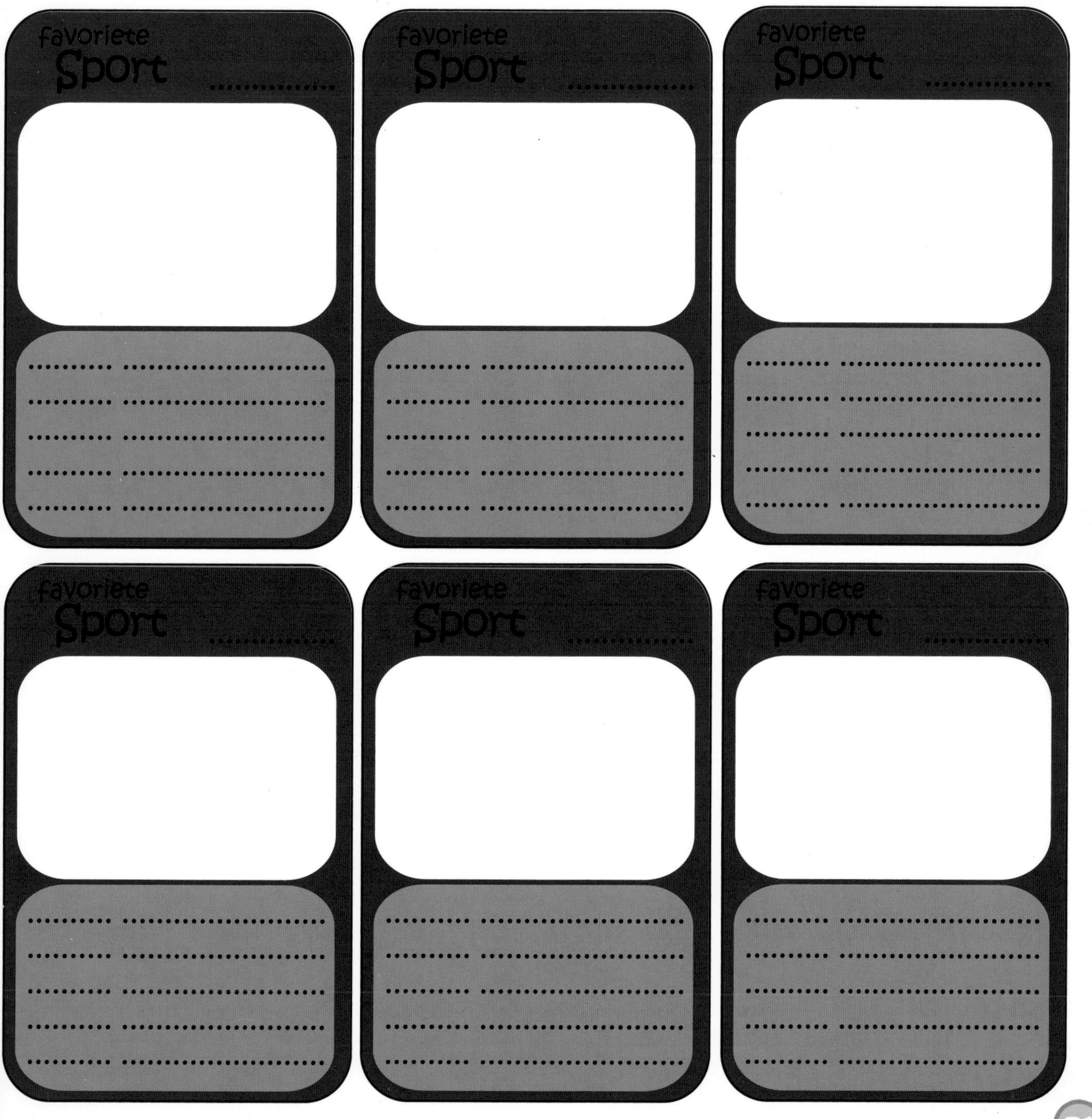
favoriete
Sport
favoriete
Sport
favoriete
Sport
favoriete
Sport
favoriete
Sport
favoriete
Sport

favoriete
Kleur ....

....
....
....
....
....

favoriete
Kleur ....

....
....
....
....
....

favoriete
Kleur ....

....
....
....
....
....

favoriete
Kleur ....

....
....
....
....
....

favoriete
Kleur ....

....
....
....
....
....

favoriete
Kleur ....

....
....
....
....
....

favoriete
Bloem ....

....
....
....
....
....

favoriete
Bloem ....

....
....
....
....
....

favoriete
Bloem ....

....
....
....
....
....

favoriete
Bloem ....

....
....
....
....
....

favoriete
Bloem ....

....
....
....
....
....

favoriete
Bloem ....

....
....
....
....
....

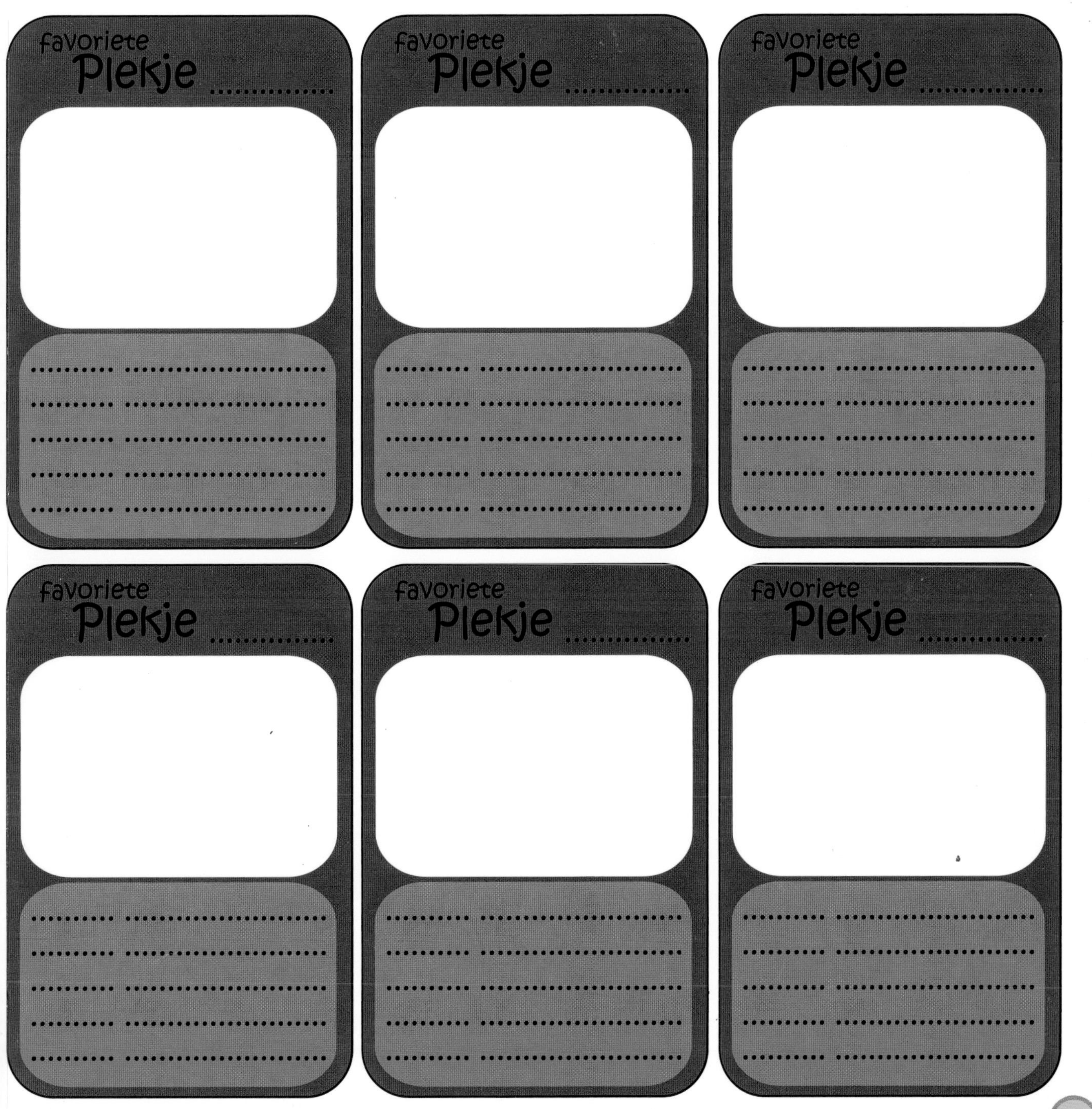
favoriete
Plekje
favoriete
Plekje
favoriete
Plekje
favoriete
Plekje
favoriete
Plekje
favoriete
Plekje